E. Tellier   xmas 2007

D1535839

Pierre Porte

DESSINER,
c'est facile

Nathan

Ce livre vous propose une suite de sujets très différents.

Chaque modèle a été décomposé en plusieurs phases.

Dans un premier temps, il est nécessaire de suivre
l'ordre logique proposé : ce travail vous permettra de
dessiner par la suite les sujets que vous préférez.

Les premières esquisses sont tracées avec légèreté.
Elles guident votre travail mais seront gommées sur le
dessin final.

Le clown

Après cette esquisse,
toutes les fantaisies sont permises :
il s'agit d'un clown !

La forme du nez, les cheveux,
le maquillage...

peuvent être modifiés
au gré de votre fantaisie.

Les poussins

L'œuf, dont ils sont sortis...

constituera toujours la base
qui vous permettra de les dessiner.

La poule

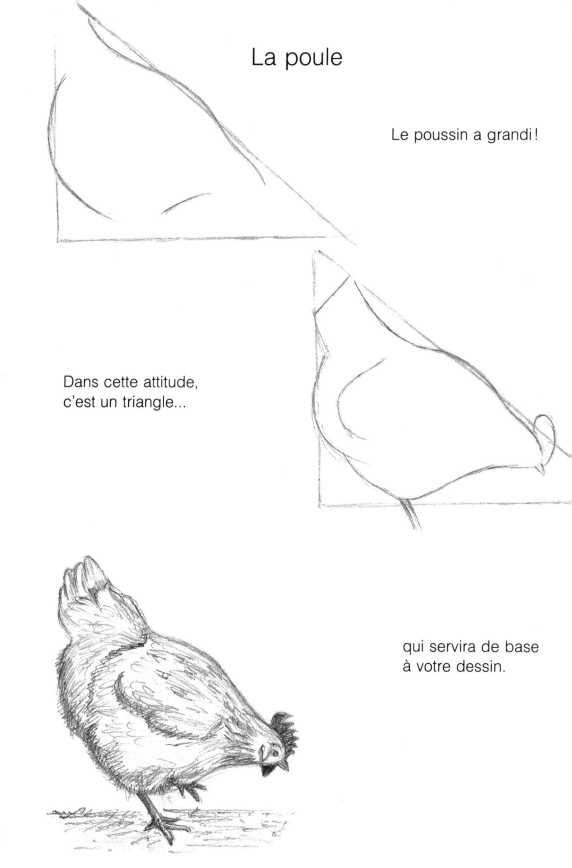

Le poussin a grandi !

Dans cette attitude,
c'est un triangle...

qui servira de base
à votre dessin.

Le coq

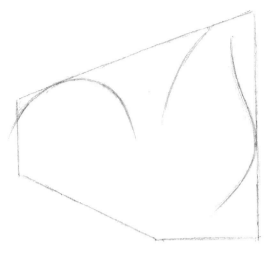

Pour le coq...

c'est le plumage
de la queue...

qui impose
un cadre différent
au dessin final.

La vache

L'aspect massif de l'animal doit se dégager...

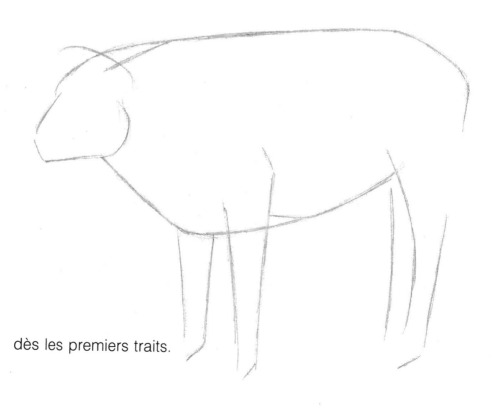

dès les premiers traits.

Les taches de la robe s'obtiennent en frottant légèrement la mine du crayon tenu presque parallèlement à la surface du papier.

La chèvre

la position générale
du corps...

Dessiner les pattes
après avoir indiqué
en quelques lignes...

légèrement porté
vers l'arrière.

Le cheval

I

L'aspect anguleux de l'esquisse sera adouci en transformant les premières lignes droites...

en courbes légères.

Les ombres sont obtenues par un jeu de hachures.

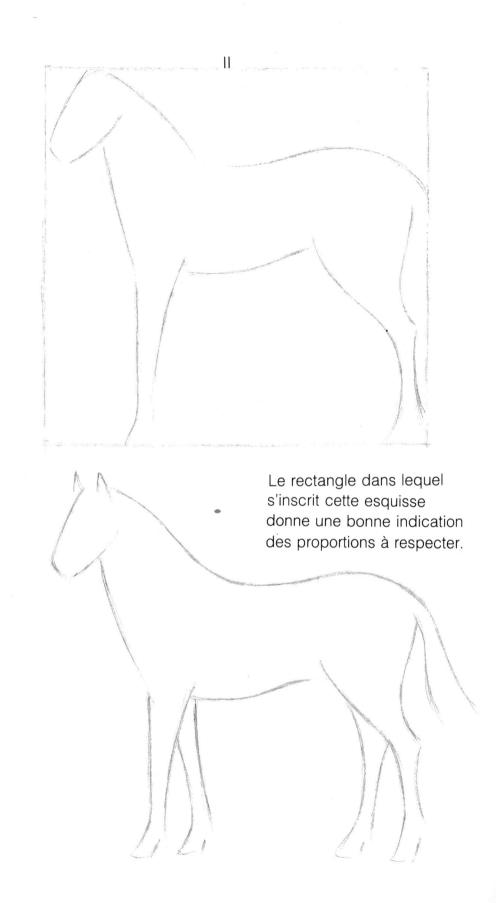

Le rectangle dans lequel
s'inscrit cette esquisse
donne une bonne indication
des proportions à respecter.

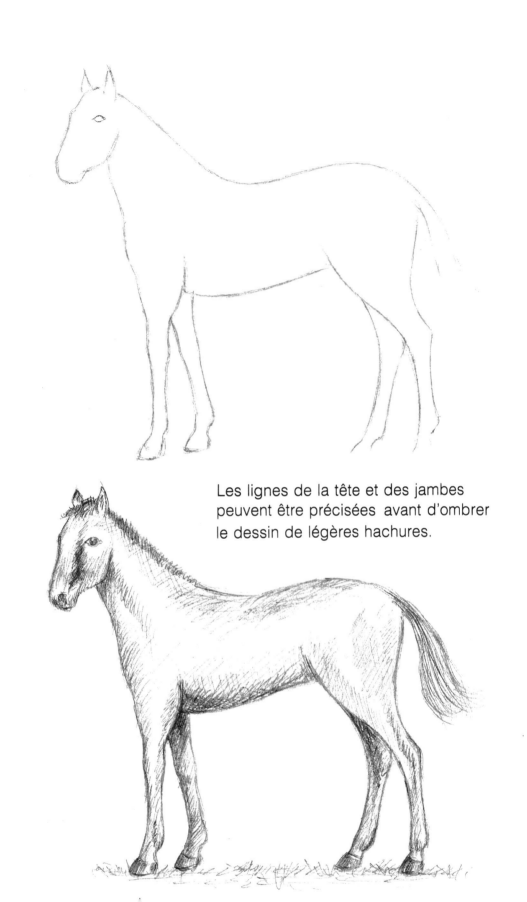

Les lignes de la tête et des jambes
peuvent être précisées avant d'ombrer
le dessin de légères hachures.

Les fruits

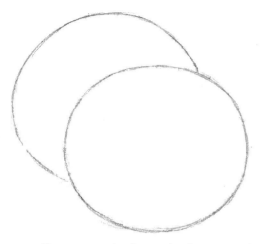 

On ne peut rêver de formes plus simples !

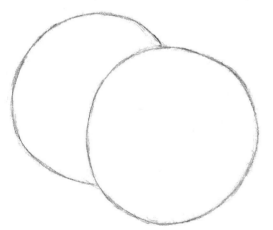 

C'est l'apport des ombres
qui les transformera en pommes ou en poires.

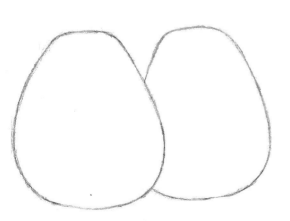 

Le raisin

Chaque grain constitue
un dessin en soi...

puisqu'il faudra lui apporter
les reflets et les ombres...

qui le détacheront des autres.

Les tulipes

La forme simple d'un verre sera complétée
par le dessin des pétales.

Ceux-ci se détacheront
grâce à des ombres convenablement placées.

Les campanules

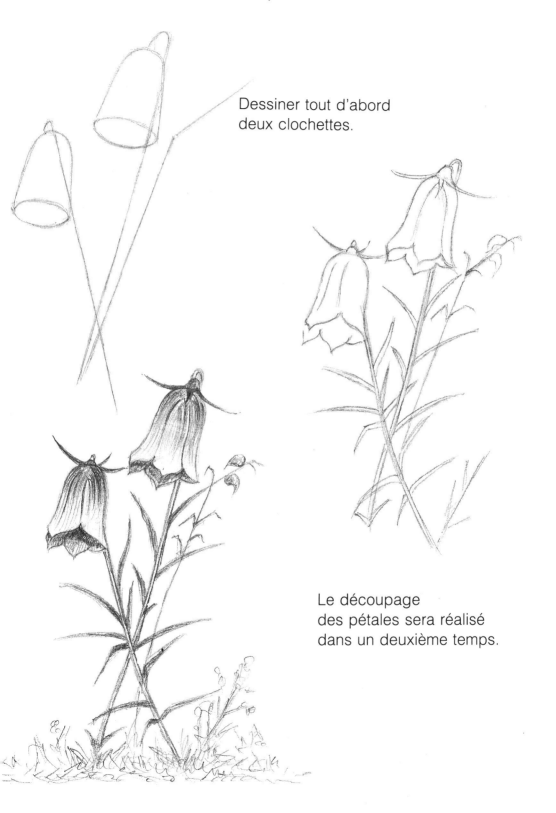

Dessiner tout d'abord
deux clochettes.

Le découpage
des pétales sera réalisé
dans un deuxième temps.

L'iris

L'exécution de cette silhouette plus compliquée sera grandement simplifiée en traçant tout d'abord un grand huit.

Les détails de la fleur seront indiqués...

et précisés par des ombres légères.

La rose

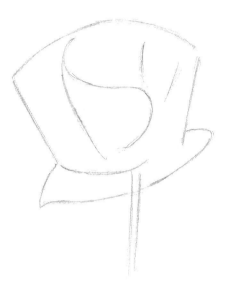

La plus fragile des fleurs est sûrement
l'une des plus difficiles à dessiner!

Elles se ressemblent toutes
et sont pourtant très différentes.
Composer le dessin des pétales
par phases successives.

Le jeu des ombres et des lumières
permet de restituer le volume.

Les champignons

Rien de plus simple que de dessiner un champignon!

Le pied est surmonté d'un demi-cercle...

ou d'un ovale.

Et quelques ombres convenablement placées lui assurent sa jolie forme.

Les papillons

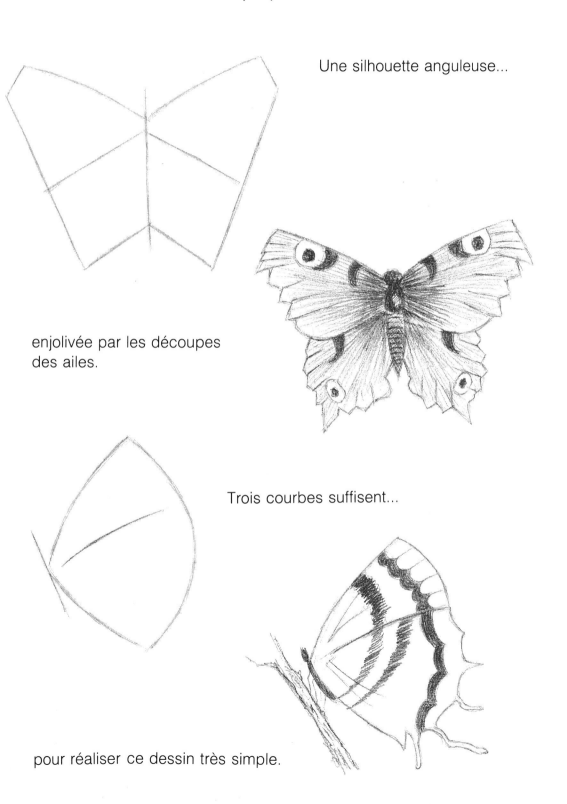

Une silhouette anguleuse...

enjolivée par les découpes
des ailes.

Trois courbes suffisent...

pour réaliser ce dessin très simple.

La mésange

Une courbe assez prononcée surmontée d'une ligne oblique.

Ces traits sont simplement corrigés par le creu du cou, par l'arrondi de la tête...

et par le flou du plumage.

Le merle

Une silhouette plus élancée
que celle de la mésange...

et un bec plus fort.

Les gris et les noirs
s'obtiennent en superposant
plusieurs couches de crayon
et non en appuyant
exagérément.

Le panda

À quelques détails près,
la forme de la tête
est obtenue par
ces tout premiers traits.

Après avoir complété
le dessin...

exécuter les « noirs »,
sans appuyer trop fortement
le crayon.

Le mouflon

Veiller au respect
de la courbe
très pure des cornes...

avant d'en poursuivre
le tracé.

Le pelage et les ombres
sont rendus par
des hachures légères,
rapidement exécutées.

Le daim

Un ensemble de courbes
très harmonieux...

pour situer
le corps et les cornes.

Les détails peuvent
être dessinés.

L'œil allongé,
en amande,
souligne l'aspect
très doux de l'animal.

L'ours blanc

La silhouette pesante apparaît
dès les premières esquisses.

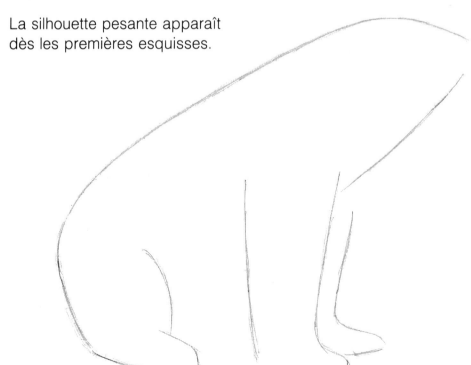

Le pelage est obtenu par une succession
de traits légers, rapidement exécutés.

La barque

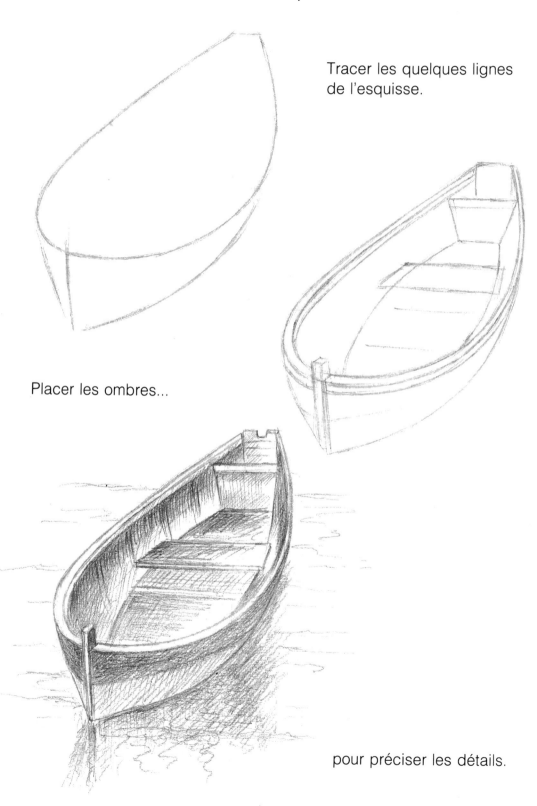

Tracer les quelques lignes de l'esquisse.

Placer les ombres...

pour préciser les détails.

Le paquebot

Une construction orientée vers l'avant...

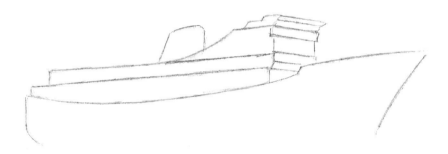

souligne l'impression de puissance de ce bateau.

Le voilier

Quelques traits tout simples...

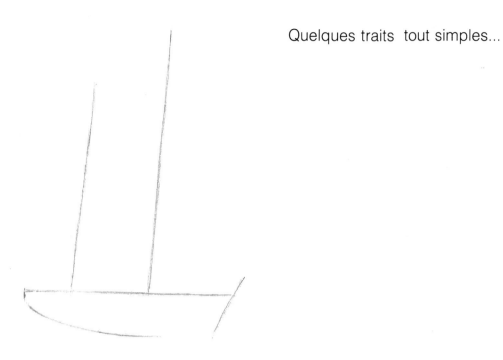

et la longue courbe
du spinnaker.

Le dessin de la voilure
peut être achevé...

et les ombres
mises en place.

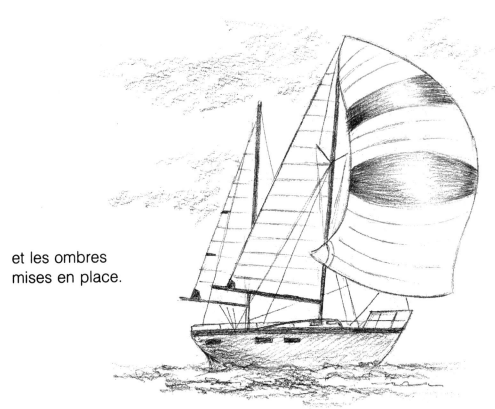

Le chalutier

Le petit bateau
des cahiers d'écolier...

se transforme petit à petit...

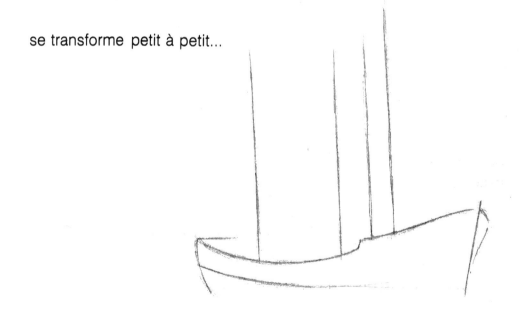

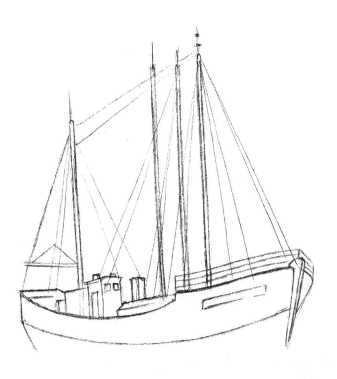

avec ses haubans
et sa cabine...

en un classique
chalutier.

Le T.G.V.

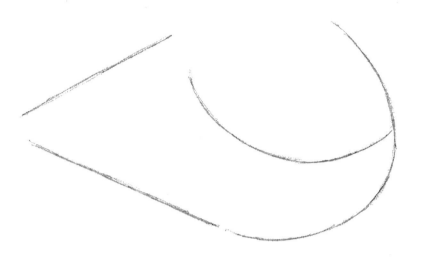

La réussite de ce dessin dépend avant tout
du tracé des lignes fuyantes.

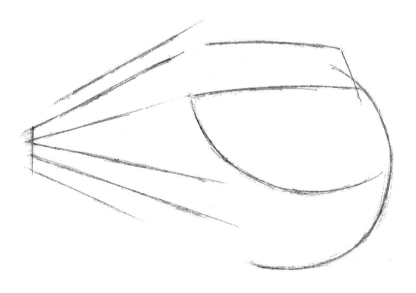

Cet effet de perspective
accentue l'impression de vitesse.

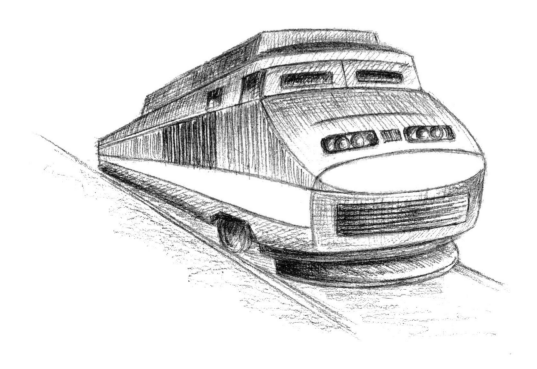

Les avions

Veiller au bon positionnement des ailes...

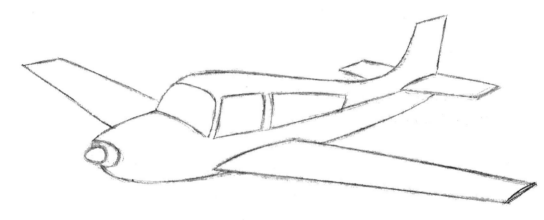

par rapport au fuselage.

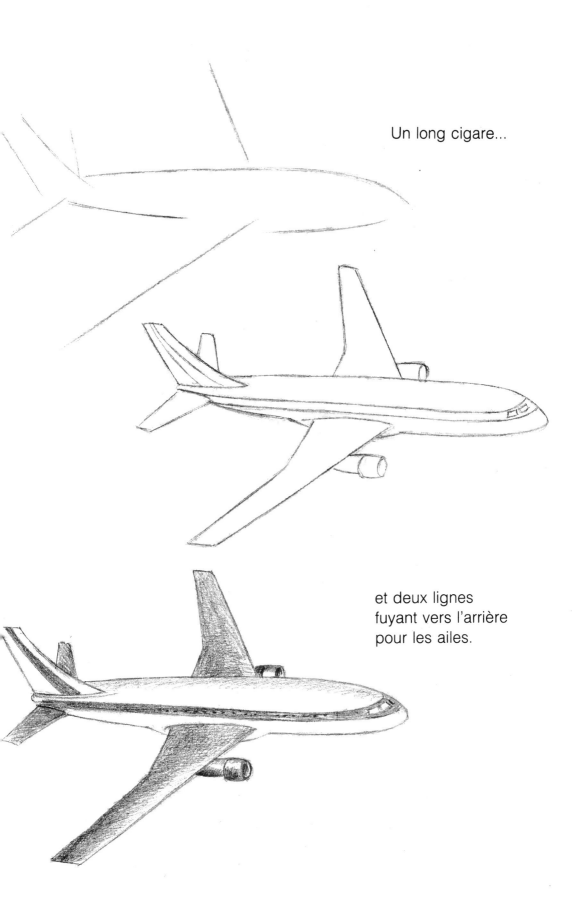

Un long cigare...

et deux lignes
fuyant vers l'arrière
pour les ailes.

Le camion

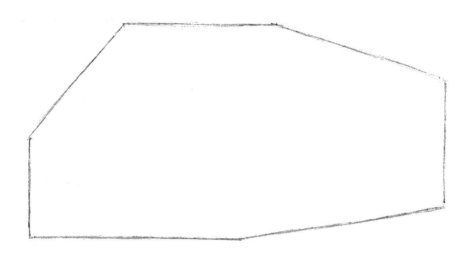

Une construction faite de lignes droites...

à l'intérieur desquelles la silhouette du camion apparaît...

et se précise.

Des ombres permettront de bien détacher la cabine de l'ensemble.

Les voitures

I

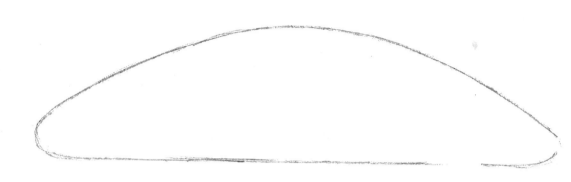

L'esquisse est d'une grande simplicité.

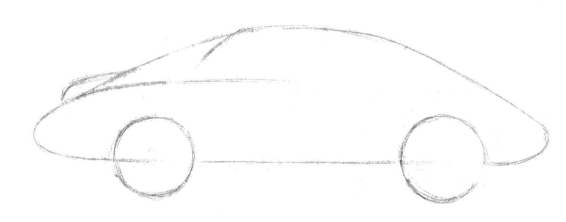

L'ensemble de la voiture s'y inscrira.

Les détails de la carrosserie sont dessinés.

Les volumes sont animés par quelques reflets.

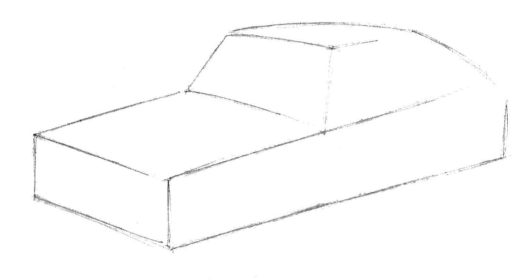

L'esquisse est un ensemble de lignes droites
« coiffé » par une courbe.

Veiller à l'aplomb de l'ensemble
avant d'achever le dessin.

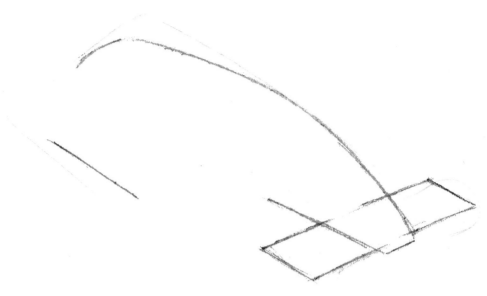

Esquisser la forme de la voiture.

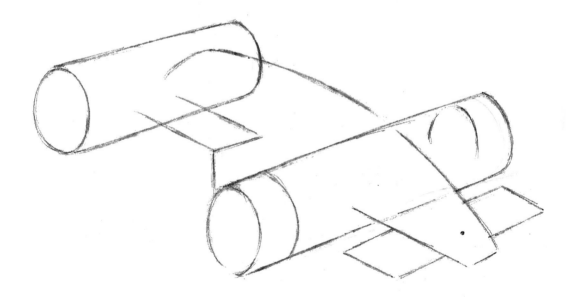

Indiquer par un cylindre le placement des roues.

Les autres éléments peuvent être dessinés.

Les ombres souligneront les volumes.

Un ensemble géométrique
simple...

sera modifié ét complété...

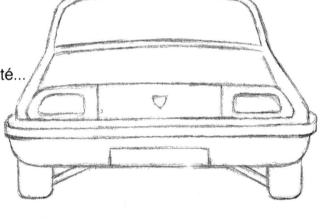

par les détails
de la carrosserie.

Paysages

I

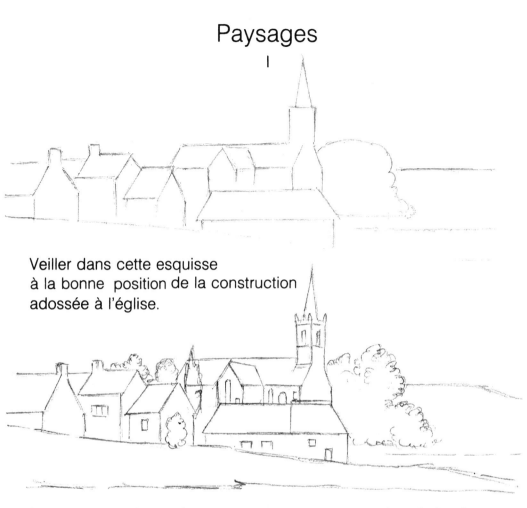

Veiller dans cette esquisse
à la bonne position de la construction
adossée à l'église.

Les ombres et la végétation sont obtenues par un jeu de hachures.

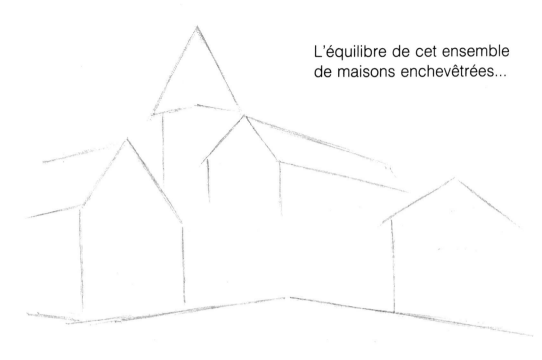

L'équilibre de cet ensemble
de maisons enchevêtrées...

sera obtenu par une bonne perspective.

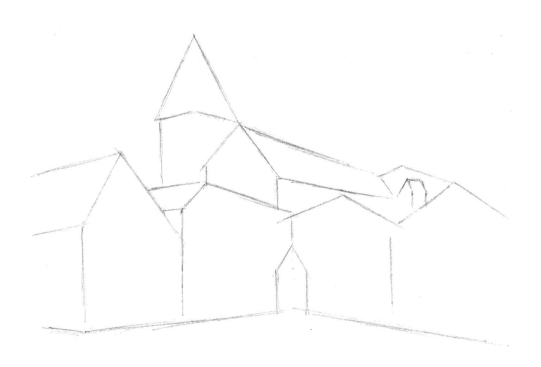

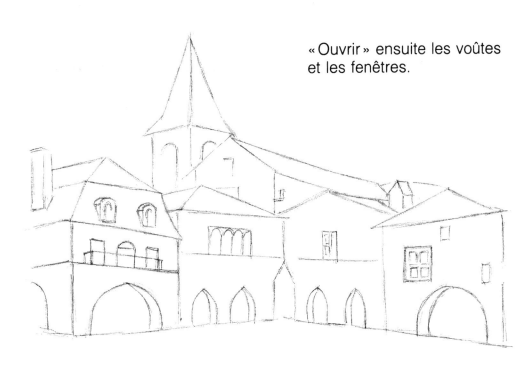

« Ouvrir » ensuite les voûtes
et les fenêtres.

Accentuer les ombres sous les voûtes.

Indiquer tout d'abord le site...

où sera installé le bateau.

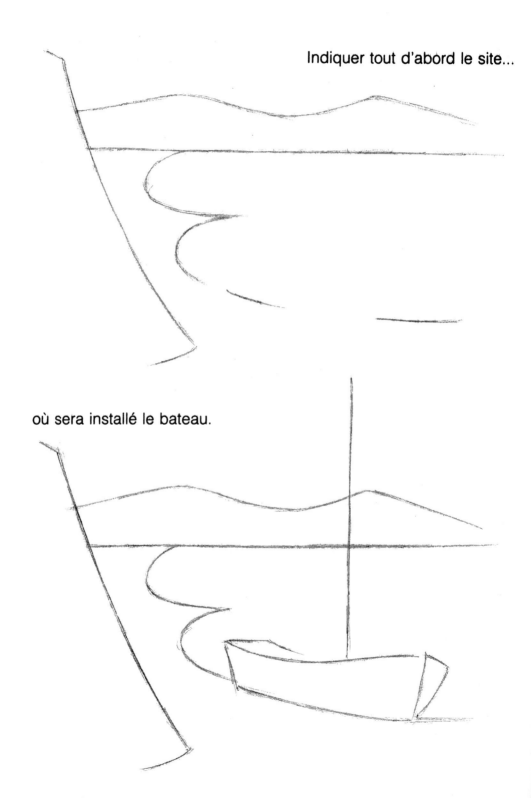

Les formes sont précisées.

Les ombres apportent une touche
de réalisme au paysage.

Esquisser les montagnes
et indiquer la position du chalet.

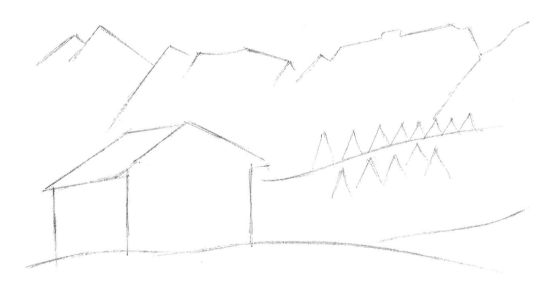

Préciser les différents plans du paysage.

Un tracé et des ombres plus soutenus
dégageront le chalet du massif montagneux.

Des hachures légères donneront son volume à la montagne.

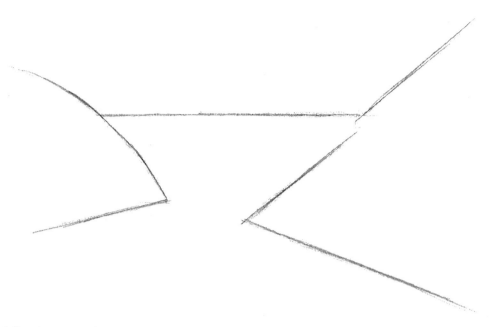

L'horizon et deux pointes : le décor est en place.

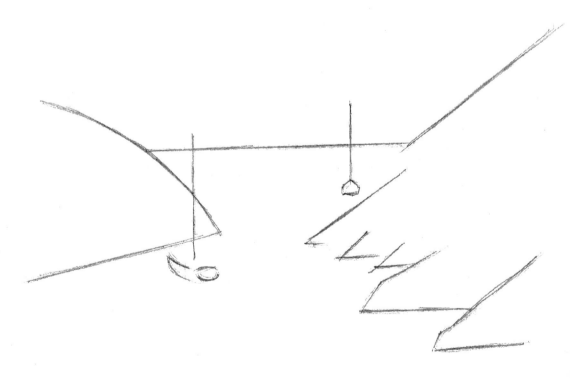

Esquisser le découpage de la côte et placer les bateaux.

Les détails peuvent être maintenant dessinés.

Enfin, les ombres apporteront du relief à l'ensemble.

Les maisons

I

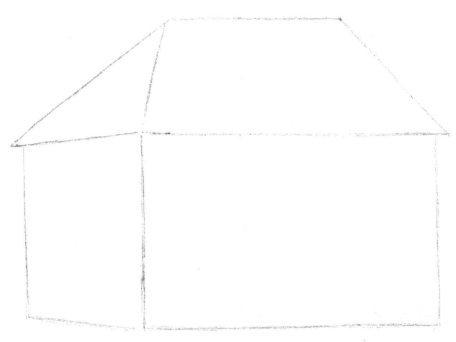

Tout d'abord, une construction simple.

Le placement des mansardes demande une attention particulière.

Préciser le dessin des fenêtres, de la porte et du toit.
Enfin, animer l'ensemble par les ombres et les lumières.

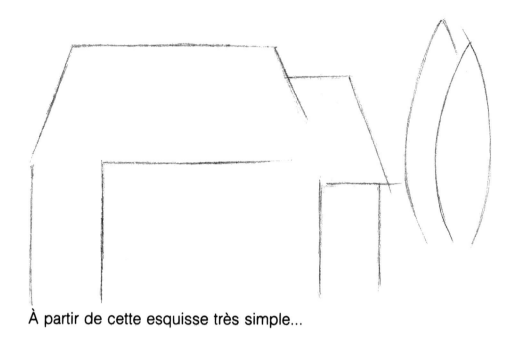

À partir de cette esquisse très simple...

dessiner la tour carrée qui s'imbrique dans la façade.

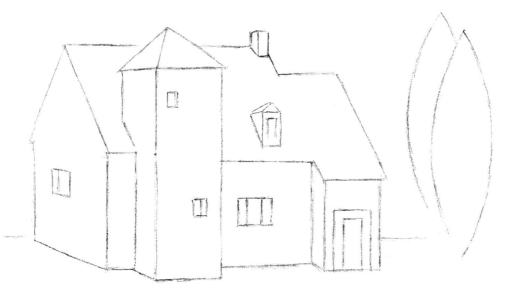

Les fenêtres et la porte sont mises en place...

ainsi que des gris plus ou moins soutenus.

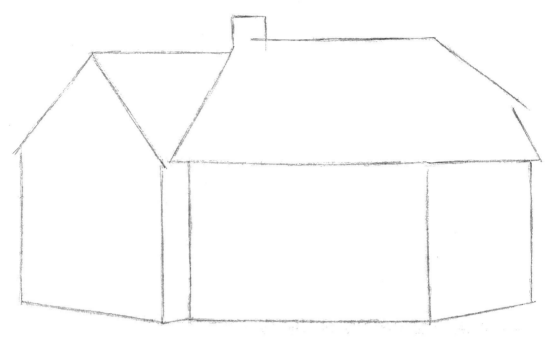

Bien respecter dans ces premières esquisses
l'inclinaison de la pente des toits.

Préciser les détails : fenêtres, portes...

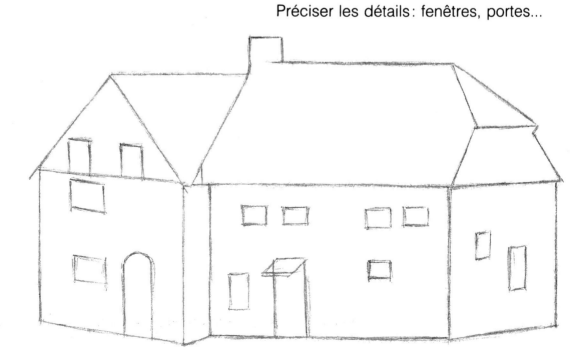

Enfin, les colombages.

Le dessin des ardoises est rendu par des traits légers.

N° projet : 10134652 – Dépôt légal : juin 2006
ISBN 2.09.250389.8
Loi du 16 juillet 1949 sur les publications destinées à la jeunesse
Imprimé en France par Mame Imprimeurs à Tours (n°06052179)